Rhiannon Wyn Salisbury

ac

Elin Vaughan Crowley

Diolch i Nain a Taid
Ty'n y Pwll, Dinas Mawddwy

Cyfres Celt y Ci – Rhif 2

Argraffiad cyntaf: 2023

Dyluniwyd gan Richard Huw Pritchard

Dymuna'r cyhoeddwyr gydnabod cymorth ariannol
Adran Addysg Llywodraeth Cymru

Cynllun y clawr: Richard Huw Pritchard

Rhif Llyfr Rhyngwladol: 978 1 80099 457 7

Cyhoeddwyd ac argraffwyd yng Nghymru gan
Y Lolfa Cyf., Talybont, Ceredigion SY24 5HE
gwefan: www.ylolfa.com
e-bost: ylolfa@ylolfa.com
ffôn: 01970 832 304

Glain y gath

silff ffenest

silff ffenest Glain y gath

Mae silff ffenest Glain y gath yn Fferm y Ffridd.

Mae Glain y gath
ar y silff ffenest.

Mae Celt y ci ar y clos.

Helô, Celt y ci.
Mae Celt y ci yn Fferm y Ffridd.
Helô, Celt y ci.

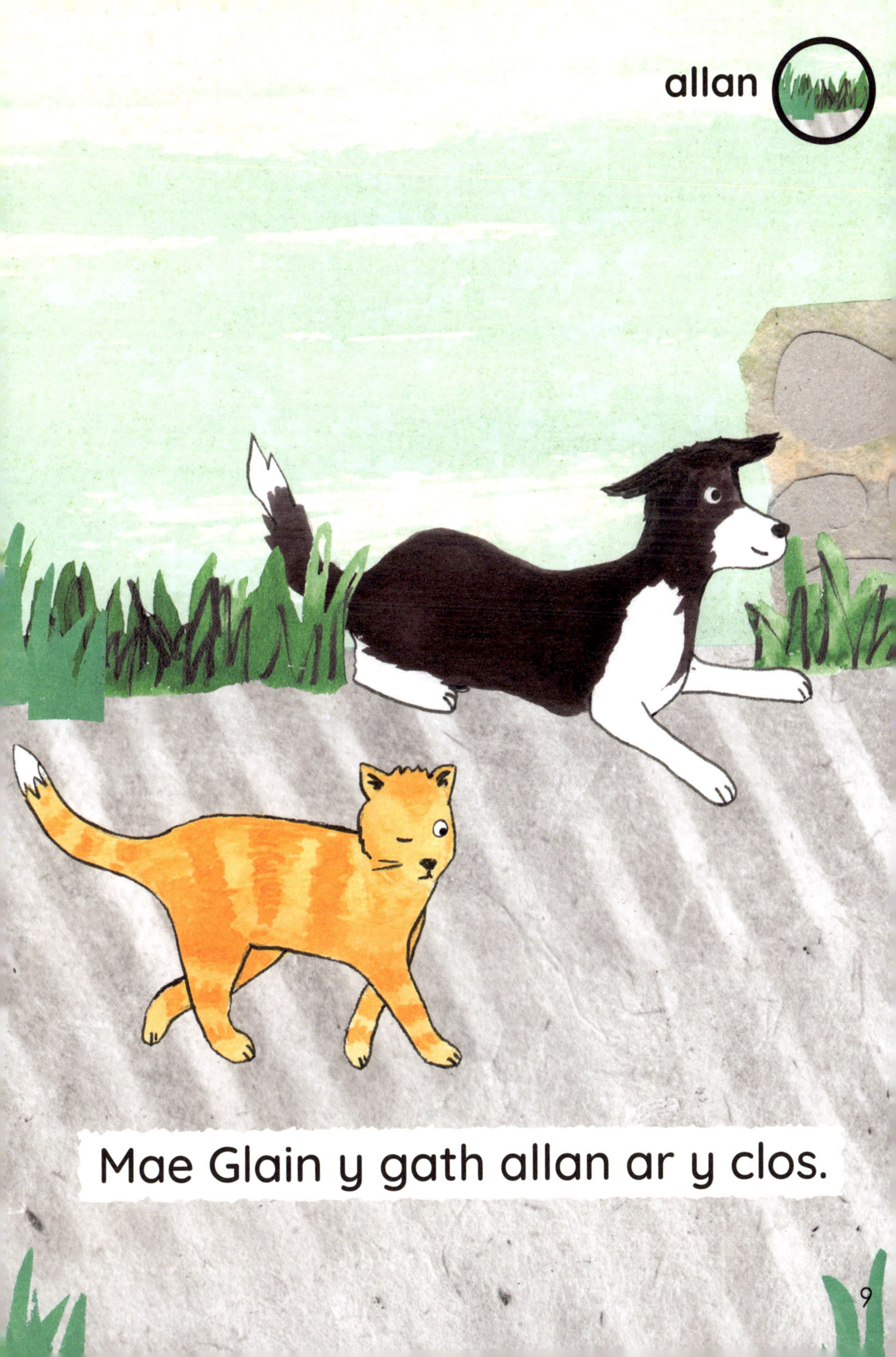

Mae Glain y gath allan ar y clos.

9

 gweld

Mae Celt y ci yn gweld
Glain y gath ar y clos.
Bow wow wow!

cyfarth

Bow wow wow!
Mae Celt y ci yn cyfarth
ar Glain y gath.

 rhedeg

Mae Glain y gath yn rhedeg ac mae Celt y ci yn rhedeg.

ar ôl

Mae Celt y ci yn rhedeg ar ôl Glain y gath.

Mae Glain y gath yn rhedeg yn gyflym.

i fyny'r goeden

Mae Glain y gath yn rhedeg i fyny'r goeden.

cuddio

Mae Glain y gath yn cuddio yn y goeden.

16

Mae Celt y ci yn cyfarth.
Bow wow wow!

Mae Celt y ci yn cyfarth
ar Glain y gath.

Druan â Celt y ci.

nos

Mae hi'n nos yn Fferm y Ffridd. Mae Celt y ci yn cyfarth a Glain y gath yn cuddio.

Mae Glain y gath yn y goeden ac mae Celt y ci ar y clos.

Druan â Glain y gath! Mae Glain y gath yn sownd yn y goeden.

Druan â Celt y ci!
Mae Celt y ci wedi blino.

Mae Celt y ci yn cysgu. Sh!

cwympo

O na! Mae Glain y gath yn cwympo.

Mae Glain y gath yn rhedeg yn gyflym.

Mae Glain y gath ar y silff ffenest ac mae Celt y ci yn cysgu.

Geiriau allweddol

Cyfieithiad Saesneg
English translation

20. It is night on Fferm y Ffridd.
    Celt the dog barks and Glain the cat hides.

21. Glain the cat is in the tree and Celt the dog is on the farmyard.

22. Poor Glain the cat!
    Glain the cat is stuck in the tree.

23. Poor Celt the dog!
    Celt the dog is tired.

24. Celt the dog is sleeping. Sh!

25. Oh no!
    Glain the cat is falling.

26. Glain the cat runs fast.

27. Glain the cat is on the windowsill and Celt the dog is sleeping.

Holwch am bris argraffu!
www.ylolfa.com